S0-BFA-121

Para Benicio
De tus tíos Rita y Willy
Felíz Navidad 2020
¡Te amamos!

¿QUÉ TAL SI...?

Para Jack, Lucy, Bethany y Carys

Primera edición en inglés,   2013
Primera edición en español, 2014
    Segunda reimpresión,   2020

Browne, Anthony
    ¿Qué tal si...? / Anthony Browne ; trad. de
Laura Emilia Pacheco. — México : FCE, 2014
    [32] p. : ilus. ; 30 × 25 cm — (Colec. Los
Especiales de A la Orilla del Viento)
    Título original: What if...?
    ISBN 978-607-16-1928-0

    1. Literatura infantil I. Pacheco, Laura
Emilia, tr. II. Ser. III. t.

LC PZ7   Dewey 808.068 B262q

Distribución mundial

© 2013, AET Browne
El derecho de Anthony Browne de ser
identificado como el autor de esta obra
está sustentado en el Acta de Derechos
de Autor, Patentes y Diseño de 1988.
Publicada originalmente por Random
House Children's Publishers UK
Título original: *What if...?*

D. R. © 2014, Fondo de Cultura Económica
Carretera Picacho Ajusco, 227;
14738 Ciudad de México
www.fondodeculturaeconomica.com

Comentarios:
librosparaninos@fondodeculturaeconomica.com
Tel.: 55-5449-1871

Edición: Marisol Ruiz Monter y Socorro Venegas
Diseño gráfico: Miguel Venegas Geffroy
Traducción: Laura Emilia Pacheco

Se prohíbe la reproducción total o parcial de esta obra,
sea cual fuere el medio, sin el consentimiento por
escrito del titular de los derechos correspondientes.

ISBN 978-607-16-1928-0

Se terminó de imprimir en febrero de 2020.

El tiraje fue de 5 000 ejemplares.

Impreso en China • *Printed in China*

¿QUÉ TAL SI...?

Anthony Browne

Traducción de
Laura Emilia Pacheco

LOS ESPECIALES DE
A la orilla del viento
FONDO DE CULTURA ECONÓMICA

Por primera vez Joe iba a ir solo a una
fiesta en casa de su amigo Tom.
Sin embargo, había perdido la invitación
y no recordaba el número de la casa.

—No te preocupes, Joe. Tom vive en esta calle. Vamos a encontrar la casa —dijo su mamá y salieron.

—No —respondió Joe.

—¡No!
—exclamó Joe.

—¡No!
—dijo Joe.

—¡NO! —gritó Joe.

—¿Qué tal si es una fiesta horrible?
¿Puedes venir antes?
—Te vas a divertir —respondió su mamá—. Te
aseguro que no te vas a querer ir.
—Te apuesto a que sí —dijo Joe.
—¿Ésta será la casa?
—¡NO! —respondió él.

Ya habían recorrido toda la calle.

Entonces la vieron: era la casa de Tom.

Joe no advirtió que la puerta
se abría lentamente...

Joe entró en la casa.

Y su mamá volvió a la suya.

Espero que Joe la pase bien.
Claro que va a estar bien: ¡sólo es una fiesta!
¿Qué tal si Joe la está pasando MUY mal?

Dos horas después...

Toc, toc, toc... La mamá de Joe entró en casa de Tom...

—Hola, ma. ¡Me estoy divirtiendo mucho!
—¡Qué gusto me da! —dijo ella.

—Joe... ¿qué tal si hacemos una fiesta
para tu cumpleaños?
—¡SÍ, MAMÁ! ¡GRACIAS! —respondió Joe.

Otros títulos
de Anthony Browne